Alle Photographien des Bandes stammen von Giulio Veggi, mit Ausnahme der nachfolgenden:

W. Kunz Bilderberg/Grazia Neri:
S. 10

François Gohier/Overseas:
S. 50

G. Pellicci/Overseas:
S. 2–3, 11, 12–13.

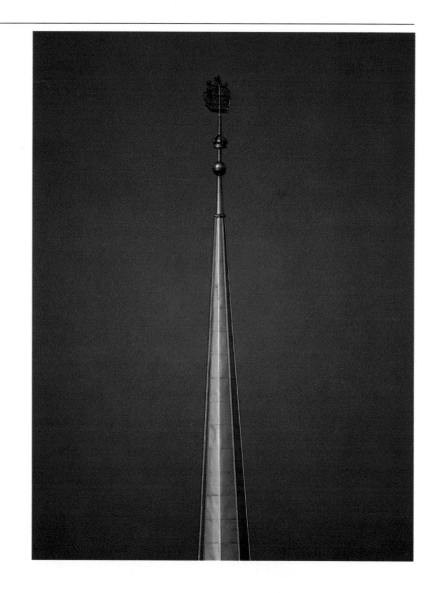

Genehmigte Lizenzausgabe für Bechtermünz Verlag
im Weltbild Verlag GmbH, Augsburg 1997
© 1993 White Star S.r.l.
© der deutschen Ausgabe 1993 Umschau Buchverlag
Breidenstein GmbH, Frankfurt/M.
Titel der Originalausgabe: „Città d'autore San Pietroburgo"
Aus dem Italienischen übersetzt von: Geno Schneider-Ludorff, Frankfurt/M.
Einbandgestaltung: Gerd Aumann Kreativ Design, Wiesbaden
Umschlagmotiv: Katharinenpalast (vorne),
Tempel der Freundschaft im Park von Pavlovsk (hinten)
Gesamtherstellung: Istituto Grafico Bertello
Printed in Italy
ISBN 3-86047-858-3

FASZINIERENDE STÄDTE
ST. PETERSBURG

Photographien
GIULIO VEGGI

Text
FABIO BOURBON

Graphische Ausstattung
PATRIZIA BALOCCO

BECHTERMÜNZ VERLAG

2–3   Ein Mantel aus Schnee umhüllt das Njevski-Kloster. Peter der Große schenkte das Bauwerk der orthodoxen Kirche.

4–5   Das vergoldete Schiff auf der Spitze des Turms der Admiralität in siebzig Meter Höhe ist eines der Wahrzeichen von St. Petersburg.

6   Die Auferstehungskirche wurde zwischen 1883 und 1907 erbaut. Die Architekten Parland und Makarov nahmen die Moskauer Basilius-Kathedrale zum Vorbild ihres Entwurfes.

7   Das Museum für Anthropologie und Ethnographie (ehemals Kunstkammer) beherbergt eine Sammlung von mehr als einhunderttausend Exponaten. Der Turm diente als Sternwarte. Hier ist auch eine große Weltkugel des Gelehrten Lomonossov aus dem 18. Jahrhundert zu bewundern.

Sankt Petersburg, Petrograd, Leningrad und jetzt wieder Sankt Petersburg: In den Namensänderungen spiegeln sich die Launen der Geschichte wider. Von Peter dem Großen gegründet, breitete sich Sankt Petersburg auf ursprünglich etwa einhundert Inseln zwischen Flußarmen und Kanälen der Newa aus, so als wolle die Stadt mit ihrer urbanen Struktur auf die privilegierte Beziehung zum Wasser hinweisen. Allerdings mußte dieses »Element« erst gebändigt werden, damit das »Fenster nach Europa«, wie Sankt Petersburg seiner Bestimmung nach auch genannt wird, überhaupt entstehen und sich öffnen konnte. Eine der Eigenarten der Stadt ergibt sich aus ihrer geographischen Lage: Sie ist zum Finnischen Meerbusen hin offen, im Nordosten mit dem riesigen, kalten Ladoga-See verbunden, und da sie so weit nördlich liegt wie Stockholm und Teile Alaskas, sind die Winter hier feucht und eisig, die Sommer regnerisch. Charakteristisch für die Metropole des Nordens sind die »weißen Nächte«, wenn das Licht vierundzwanzig Stunden über die Stadt herrscht.

Ihren geographischen, klimatischen und architektonischen Eigenheiten verdankt die Stadt den Ruf ihrer Einmaligkeit. Doch auch in anderer Hinsicht gibt es in dem riesigen Rußland ihresgleichen nicht noch einmal. Prunkvoll, weise, unerschütterlich – Sankt Petersburg ist lange Zeit die einzige russische Stadt gewesen, die das wahre »geistige Vaterland« repräsentierte. Ohne Wurzeln, ohne Vorgeschichte entstanden – in mühsam erzwungenem Kontakt zu dem Boden, auf dem sie ruht –, stellt die Stadt in ihrer majestätischen Größe einen deutlichen Gegensatz zum Gigantismus der Hauptstadt Moskau dar. Liegt es daran, daß Sankt Petersburg Barock und Klassizismus in seltener Ausgewogenheit zu verbinden vermag?

Viele Stunden feierlicher Würde und fröhlicher Ausgelassenheit hat die Newa-Stadt erlebt; sie war aber auch schweren Bedrängnissen ausgesetzt. Sie hat den Ruhm alter zaristischer Tradition nie verleugnet und dessen Bürde getragen. Sie überdauerte sogar eine Revolution, die sich nach siebeneinhalb Jahrzehnten selbst wieder auslöschte. Die Patina des von Peter dem Großen errichteten Monumentes ist echt, der von der Oktoberrevolution herrührende Ruhm ebenfalls. Für Sankt Petersburg ist beides emotionsgeladenes Erbe.

»Ein neues Rom und ein neues Athen sehe ich in Petersburg aufblühen«, verkündet ein altes Loblied. In Dostojewskis Werken ist davon nichts mehr zu spüren. Er fühlte sich hier fremd: »Es ist ein Unglück, in Petersburg zu wohnen, der gegenstandslosesten und geplantesten Stadt der Welt.« Doch letztlich ist der große Dichter auch hier heimisch geworden. Ein Besuch des Stadtteiles, in dem der Student Raskolnikow aus »Schuld und Sühne« den Mord an der geizigen Aljona Iwanowna und ihrer Schwester Elisabeth beging, gehört zu jeder Besichtigung. In der Srednaja Polijatscheska Nummer 15, hinter dem Gribojedov-Kanal, scheint die Zeit genauso stehengeblieben zu sein wie in den Winkeln der Altstadt mit ihren verfallenden Häusern und den an die Mauern angelehnten Holzhütten, die noch an die Elendsviertel der verworrenen Jahre nach der Revolution erinnern. »Zehn Tage, die die Welt erschütterten« haben lediglich dem Schicksal der prächtigen Paläste eine Wende gegeben, die der Adel im Wettstreit mit dem Baueifer der kaiserlichen Familie errichten ließ. Ansonsten hat sich in den letzten achtzig Jahren wenig verändert: Sankt Petersburg zeigt in jedem Winkel die Facetten seiner Geschichte, ein Mosaik aus Nostalgie und Realität.

8–9   Der Njevski-Prospekt ist »die Straße«
St. Petersburgs. Mit einer Länge von viereinhalb
Kilometern durchzieht er die durch den großen
Arm der Newa gebildete Halbinsel. Die Gebäude
aus dem 18. Jahrhundert, die den Prospekt
säumen, sind Zeugen der Stadtgeschichte.

In den langen Jahren der kommunistischen Herrschaft war vieles einem Anpassungsprozeß unterworfen. Der von Rastrelli geplante Palast des Prinzen Voroncov beherbergt die Militärakademie Suvorov; im Singer-Haus, mit seiner großen Weltkarte aus Marmor, befindet sich die Stadtbibliothek. Das Smolny-Institut, ein Werk Quarenghis, in dem die Kinder des Adels erzogen wurden, wurde zunächst Hauptsitz des Komitees der Bolschewisten, dann Domizil des städtischen und regionalen Parteikomitees. Im Taurischen Palast, den Zarin Katharina für den Fürsten Potjomkin errichten ließ, war die Hochschule der Partei untergebracht, aus der die sowjetische »Nomenklatura« hervorging. Der »Gostiny Dvor« auf dem Njevski-Prospekt war das Pendant zum »Gum« in Moskau, ein Kaufhaus aus der Zeit Katharinas der Großen, mit weitläufigen Galerien, Verkaufsständen und dreihunderttausend Kunden täglich, ein Gradmesser der russischen Wirtschaft. Heute verspürt auch der »Gostiny Dvor« die Krise, die das Land erschüttert. Die Jahre von Glasnost und Perestroika, die durch den Volksaufstand und die Freiheitsbestrebungen im August 1991 ihre Bestätigung fanden, haben die Diskussion um die Zukunft des Landes neu entfacht. In Sankt Petersburg weht ein frischer Wind. Der Kreuzer »Aurora« wiegt sich, mit Fahnen und Ehrenzeichen geschmückt, zwar immer noch in den Wassern am Ufer der Petrogradskaja Naberežnaja, die an der Newa entlangführt, aber das Schiff der Oktoberrevolution ist heute ein Freizeitclub. Ein Besuch dieses Revolutionsdenkmals gehört nach wie vor zum Programm aller Reisegruppen bei Stadtbesichtigungen. Auf den Souvenirbuden vor der Mole stecken amerikanische Wimpel, ungerührt verkauft man hier dickbäuchige Matrjoschkas, handbemalte Halstücher, Kassetten mit Rockmusik und Getränke in Dosen, die sich von denen aus dem Westen nur durch die kyrillische Aufschrift unterscheiden.

10   Der eindrucksvolle Bau der Admiralität ist
das Zentrum der städtischen Anlage am linken
Ufer der Newa und Endpunkt des Dreizacks, der
von den drei großen Straßen der Altstadt gebildet
wird.

11   Die Winter in St. Petersburg sind streng.
Eis und Schnee beeinträchtigen das tägliche Leben
aber nicht.

12–13   Am Ufer der Petrogradskaja Nabereznaja
liegt der Kreuzer »Aurora«, das Symbol der
Oktoberrevolution schlechthin; aus seinen Sechs-
Zoll-Kanonen fiel der Startschuß zur Erstürmung
des Winterpalais.

14   Theater, Bibliotheken, die Universität, der
Moskauer Bahnhof, das Museum für Arktik und
Antarktik und über einhundert Geschäfte liegen am
Njevski-Prospekt, an dessen Ende sich der
neugotische Spitzturm der Admiralität erhebt.

15   Gußeiserne Greifen bewachen eine der
schönsten Brücken der Stadt, die Hängebrücke vor
der ehemaligen Nationalbank.

16 oben   Die Kathedrale der Muttergottes von Kasan mit ihrem halbkreisförmigen, zum Njevski-Prospekt offenen Säulengang ist ein Meisterwerk des russischen Klassizismus. Das Gotteshaus wurde unter Nikolaus I. von dem Architekten Voronichin erbaut, der sich hierbei vom Petersdom in Rom inspirieren ließ.

16 unten   Der große Triumphbogen, achtundzwanzig Meter hoch, verbindet die zwei Flügel des Generalstabsgebäudes, in dem heute die öffentliche Verwaltung ihren Sitz hat.

16–17   Der Triumphbogen auf dem Schloßplatz, 1819 bis 1929 von Carlo Rossi errichtet, gilt dem Sieg Rußlands über Napoleon. Die prunkvolle Gestaltung mit dem sechsspännigen antiken Siegeswagen über der Attika war ausdrücklicher Wunsch des Zaren.

18–19   Das Winterpalais, ältestes Gebäude des Schloßplatzes, entstand nach einem Entwurf des Architekten Rastrelli, der sich von den königlichen Palästen Italiens, insbesondere von dem Königsschloß in Caserta, inspirieren ließ.

20   Fünf goldene Kuppeln zieren die Palastkirche
von Puschkin, früher Carskoje Selo genannt,
der bezaubernden Sommerresidenz der Zarin
Elisabeth I. vor den Toren St. Petersburgs.

21 Die elegante Kuppel eines der Pavillons vor dem Großen Palast in Peterhof, der Sommerresidenz Peters des Großen. Nach der Zerstörung durch deutsche Truppen wurde das Schloß der Zaren wieder vollständig aufgebaut.

22 Auf dem Platz des Sieges, wo während der neunhundert Tage der Belagerung Leningrads (1941–1944) durch deutsche Truppen mehrmals erbittert gekämpft wurde, steht heute ein großes Denkmal, das an die Verteidiger der Stadt erinnert.

23 Der hohe Spitzturm der Admiralität ist von überall in der Stadt zu sehen. Die Kuppel ist von ionischen Säulen umgeben, auf denen Statuen stehen.

Sankt Petersburg, festlich gestimmt im Glanze einer ruhmreichen Vergangenheit, sich seiner zaristischen Tradition bewußt, zeigt sich verärgert, wenn von der Gegenwart die Rede ist, denn gegenüber Moskau hat sich die »Hauptstadt des Nordens« immer für benachteiligt gehalten. Wurde sie nicht im Großen Vaterländischen Krieg geradezu geopfert? Nach dem Krieg fühlte Sankt Petersburg sich lange Zeit vernachlässigt und wurde von der Parteibürokratie offensichtlich als »Randgebiet« betrachtet. Sie blieb dennoch – alles in allem – auch im Verfall eine noble Stadt. Trotz ihrer Wunden und ihres Grolls präsentierte sie sich ihren Gästen stets als »strahlende Schönheit«, schon von weitem sichtbar mit ihren vergoldeten Kuppeln und Turmspitzen. Selbst in tiefster Not trug sie Größe zur Schau. Sie bewies Charakter in den Zeiten der Unsicherheit, Entschiedenheit gegenüber jeglichen Anfeindungen und wenig Neigung, sich Illusionen hinzugeben. In einer Zeit der Sorge über die eigene Zukunft, die die Nation verängstigt, leidet sie auch noch unter alten Krankheiten. Doch die Patientin geht mit aller Macht gegen sie an. Sankt Petersburg, mit fünf Millionen Einwohnern die zweitgrößte Stadt Rußlands, durchlebt einen weiteren schwierigen Abschnitt seiner Geschichte, getragen von eigenem inneren Antrieb, geprägt von den großen Umwälzungen im Lande. »Das Leben des kleinen Mannes im großen Rußland«, um ein Wort Tschechows zu gebrauchen, ist entscheidender Gradmesser des »neuen Kurses«.

Die Denkmäler des alten Sankt Petersburg stehen im Kontrast zu den Sorgen und Nöten der heutigen Bürger. Nach fachgerechter Restaurierung, bei der nicht gespart wurde, erstrahlen die Bauten in neuem Glanz. Das große Rußland von vorgestern, das sowjetische Imperium von gestern und das sich im Umbruch befindende Rußland von heute sind in der Newa-Stadt allgegenwärtig: im Winterpalais, im Smolny, auf dem Njevski-Prospekt, in den Wohnvierteln. In der Kathedrale beten Gläubige heute wieder vor den Gräbern der Zaren. Die St. Isaak-Kathedrale ist von früh bis spät mit Besuchern überfüllt, die die hohen Säulen und die eindrucksvollen Fresken bewundern. Die Auferstehungskirche, im Jahre 1883 an der Stelle erbaut, an der Zar Alexander von den Verschwörern der »Narodnaja Volja« ermordet wurde, ist restauriert und prunkt mit ihren fünf riesigen Kuppeln. In der Nikolski-Morskoi-Kathedrale an der Rimski-Korsakov-Straße stimmen Gläubige abends voller Andacht das »Halleluja« an; die berühmte Kasan-Kathedrale, Grabstätte des frommen Marschalls Kutusov, ist Ziel religiöser Pilgerfahrten. Die Auferstehungskirche des Klosters St. Alexander Njevski erstrahlt in der Pracht vergangener Tage. Die Eremitage, eines der Glanzstücke unter den Museen der Welt, empfängt täglich Zehntausende Besucher.

Die Zarenpaläste Pavlovsk, Peterhof und Carskoje Selo in der Umgebung der Metropole sind erfüllt von der zauberhaften Atmosphäre bedeutender Schöpfungen der Kunst und der Kultur, vom Fluidum historischer Größe. Am Ostrovski-Platz füllen siebenundzwanzig Millionen Bände die Saltykov-Stschedrin-Bibliothek, eine der wichtigsten Bibliotheken Rußlands. Hier steht auch das Puschkin-Theater. Der Platz mit dem Denkmal Katharinas II. gilt als Symbol für den alten Glanz Petersburgs. Der nahe Zentralpark wurde zum Treffpunkt der Künstler, die ihre Bilder dort ausstellen: ein faszinierendes Mosaik von Stilrichtungen und Tendenzen, Erinnerungen und Entdeckungen. Die Künstler sind Hobbymaler und Studenten der Kunstakademie. Sie leben in Wohngemeinschaften und arbeiten in provisorischen Ateliers.

24 Das Smolny-Institut, im klassizistischen Stil erbaut, ist ein Werk Quarenghis. Ursprünglich ein Seminar für junge Adlige, wurde es im Oktober 1917 zum Generalquartier der bolschewistischen Revolution.

25 links Die Peter-Pauls-Festung auf der Hasen-insel wurde ab Mai 1703 unter Peter dem Großen von dem Architekten Domenico Trezzini zur Sicherung des Zuganges zur Ostsee errichtet. Zum Festungsareal gehören Gebäude der Militär-verwaltung, das Arsenal, die Münze, ein Staats-gefängnis und im Zentrum die Kathedrale St. Peter und Paul.

25 rechts oben Den ehernen Reiter auf dem Dekabristenplatz ließ Katharina II. zu Ehren Peters des Großen errichten. Das Reiterstandbild ist eine Schöpfung des französischen Bildhauers Etienne Falconet. Die Arbeiten an diesem Monument, 1766 begonnen, dauerten zwölf Jahre. Der Granitmono-lith unter dem Reiter wiegt 1600 Tonnen.

25 rechts unten Ein Denkmal für Peter I. steht auch vor dem Ingenieur-Palast, der nach 1819 eine Schule für Militär-Ingenieure war. Vordem war er als Michaels-Palais bekannt. Zar Paul I. hatte den Palast – damals von allen Seiten durch breite und tiefe Wassergräben gesichert – 1797 für sich erbauen lassen. Doch schon kurz nach seinem Einzug im Jahre 1801 wurde er das Opfer einer Palastrevolution.

Hinter der eindrucksvollen Fassade alter Pracht pulsiert das tägliche Leben der Stadt. Erstaunt steht der Betrachter vor heruntergekommenen Wohn-häusern, die noch in dem Zustand der Zeit »Piters« sind, wie er liebevoll von den Bewohnern genannt wird. Auch der öffentliche Nahverkehr ist veraltet; eine Ausnahme ist die Untergrundbahn, die ein Prestigeobjekt des früheren Regimes war. Viele Wohnungen sind baufällig, und der Zustand, in dem sich die staatlichen Läden befinden, ist jämmerlich.
Sankt Petersburg hat in seiner Geschichte viele Entbehrungen ertragen müssen. Bevor Peter der Große seine Stadt gründen konnte, mußte das riesige Sumpfgebiet, worauf sie entstehen sollte, trockengelegt werden. Tausende starben dabei infolge von Erkrankungen und Erschöpfung. Mar-quis de Custine, Reisender und Chronist seiner Zeit, schrieb darüber: »St. Petersburg hat hunderttausend Menschenleben gekostet, die bei ihrer Pflichterfüllung in den verpesteten Sümpfen den Tod fanden.«

26   Das Winterpalais, Zarensitz von Elisabeth I.
bis Nikolaus II., dem letzten aus dem Hause der
Romanovs, wurde zwischen 1745 und 1762
erbaut.

27　Das Winterpalais mit 1057 Gemächern, 1945 Fenstern und 117 Treppen und üppigem Dekor ist ein Juwel barocker Baukunst.

28–29　Mit dem Winterpalais glückte Rastrelli eine Symbiose zwischen italienischem Barock und lokaler Bautradition.

30–31 Das Winterpalais ist mit vier angrenzenden Gebäuden heute unter dem Namen Eremitage bekannt. Die Eremitage beherbergt ein Museum, in dem sich eine der umfangreichsten Kunstsammlungen der Welt befindet. Zum Museum gelangt man über die große Treppe Rastrellis.

31 Das Jahr 1764 gilt als Gründungsjahr der Eremitage. Damals ließ Katharina II. in einen neuen Flügel des Palastes eine aus 225 Bildern bestehende Sammlung bringen, die sie in Berlin von dem Antiquitätenhändler Johann Gotzkowski erworben hatte.

32   Die Eremitage verfügt über einen Bestand von 2,7 Millionen Exponaten; darunter Bilder, Skulpturen, Münzen und zahlreiche andere Kunstgegenstände, die in 350 Sälen ausgestellt sind.

33   Die Sammlung der Eremitage ist in folgende Abteilungen unterteilt: Urzeit, Kultur und Kunst des Ostens, Russische Kultur, Westeuropäische Kunst und Malerei und die Gemäldegalerie.

36   Das Smolny-Kloster, in dessen Mitte die
Auferstehungs-Kathedrale steht, ist eines der
berühmtesten Bauwerke Rußlands. Die zentrale
Kuppel ist 85 Meter hoch.

37   Die Auferstehungs-Kathedrale, von dem
italienischen Architekten Rastrelli entworfen,
ist – schon ihrer Farben wegen – russisches
Barock.

Sankt Petersburg, Binnen- und Seehafen, Hauptstadt des russischen Reiches von 1712 bis 1917, Inspiration für Künstler und Schriftsteller, ist, wie die Geschichte beweist, eine Stadt mutiger Menschen, deren Liebe zu ihrem Sankt Petersburg durch Überschwemmungen, Revolutionen und Belagerungen – die letzte durch die deutschen Truppen in den Jahren 1941 bis 1944 – auf harte Proben gestellt wurde.

Das Sankt Petersburg von heute ist aus den Trümmern einer Stadt wiedererstanden, die dem Moloch Krieg einen gewaltigen Tribut hatte entrichten müssen. Die offizielle Statistik spricht von siebenhunderttausend Toten. Achtzehntausend seien bei deutschen Bombenangriffen und im Geschützfeuer umgekommen, sechshundertvierzigtausend an Krankheiten gestorben, verhungert oder erfroren. Auf Stalins ausdrücklichen Befehl, die Stadt um jeden Preis zu verteidigen, hielt Leningrad unter Aufopferung seiner Bevölkerung neunhundert Tage und Nächte den Angriffen stand. Es war eine der längsten und blutigsten Belagerungen der Geschichte. Nur ein Weg verband die Stadt mit der Außenwelt, aber auch dieser lag unter dem Beschuß der feindlichen Artillerie. Der knappe Nachschub erreichte die Stadt über den Ladoga-See, im Sommer per Schiff, im Winter, wenn der See zugefroren war, auf Lastwagen. Teile der Bevölkerung, vor allem alte Menschen und Kinder, wurden auf diesem Wege aus der Stadt evakuiert. Es fehlten Nahrung, Medikamente und Brennstoff, nur der verzweifelte Wille der Verteidiger hielt Leningrad am Leben und machte es uneinnehmbar. Eines der ergreifendsten Mahnmale gegen den Wahnsinn des Krieges ist der am Stadtrand gelegene Friedhof Piskarevskoje. Einfache weiße Steine markieren eine bedrückende Anzahl von Gemeinschaftsgräbern. Den Eingang des Friedhofs flankieren zwei Pavillons mit einer ständigen Ausstellung von Dokumenten aus der Zeit der Belagerung. Wie gegenwärtig die tragische Vergangenheit noch immer ist, läßt sich daran ermessen, daß Tag für Tag viele Menschen schweigend das kleine Museum besichtigen.

38   Die St. Isaak-Kathedrale, erbaut unter Zar
Alexander I., wurde nach fast vierzig Jahren Bauzeit
im Jahre 1858 fertiggestellt. Sie ist die größte und
prächtigste Kirche St. Petersburgs. Bei seinem
Entwurf ließ sich Auguste Montferrand vom
Petersdom in Rom und der Londoner St. Pauls-
Kathedrale inspirieren. Das Reiterstandbild im
Vordergrund stellt Zar Nikolaus I. dar.

39 oben   Die St. Isaak-Kathedrale mit einer Länge von 111 Metern bietet Platz für 14000 Gläubige. Trotz der reichen Verzierungen mit Gold, Marmor und Mosaiken und ihrer riesigen Ausmaße vermittelt das Bauwerk ein Gefühl von Leichtigkeit.

39 unten   Die prachtvolle, vergoldete und mit Fresken versehene Kuppel der St. Isaak-Kathedrale, die auf einem rechteckigen, von Säulen gebildeten Tambour ruht, ist 102 Meter hoch.

40–41   Der Schloßplatz ist das eigentliche Herz St. Petersburgs, von zwei Jahrhunderten russischer Geschichte geprägt. Der Platz wird von der Alexandersäule beherrscht, die nach einem Entwurf Auguste Montferrands aus dem Jahre 1834 zu Ehren Alexanders I. errichtet wurde.

Krieg, Deportation und Umsiedlung haben die Bevölkerung Sankt Petersburgs im Laufe von zwei oder drei Jahrzehnten verändert. Während des Wiederaufbaus, der unter größten Schwierigkeiten durchgeführt wurde, kamen Hunderttausende aus den entlegensten Teilen der Sowjetunion. Indem sie Tartaren und Kosaken, Ukrainer und Weißrussen zu stolzen Erben ihrer Geschichte machte, gelang es der Metropole den Neuankömmlingen ihren Rhythmus und ihre Lebensgewohnheiten zu vermitteln. Seit ihrer Gründung versorgen Einwanderer die Newa-Stadt immer wieder aufs neue mit Lebensenergie. Dennoch steckt auch Widersprüchliches in den Beziehungen zwischen alten und neuen Bewohnern, erkennbar an unterschiedlicher Mentalität und traditionsgebundenem Verhalten. Dank ihrer außergewöhnlichen Bedeutung für das wirtschaftliche und politische Leben ganz Rußlands wurde die Stadt von Anbeginn in einem sprunghaften Rhythmus erbaut, was zu einem schnellen Anstieg ihrer Bevölkerung führte. Im Jahre 1970 waren etwa achtzig Prozent der Bewohner Einwanderer. Derzeit leben mehr als einhundertfünfundzwanzig Nationalitäten in der Stadt, obwohl der Anteil der Russen mehr als neunzig Prozent beträgt. Im Gegensatz zu anderen Großstädten gibt es aber in Sankt Petersburg keine Stadtviertel oder Gebiete, in denen ausschließlich bestimmte ethnische Gruppen leben. Toleranz bestimmt das Miteinander hier, man wohnt zusammen.

42   Die Petersburger sind leidenschafltiche Schachspieler.

43   Der Sommergarten ist eine Oase der Ruhe in St. Petersburg. In diesem Park, der wohl zu den schönsten der Welt zählt, genoß Peter der Große seine seltenen Ruhepausen.

44–45 Als »Fenster zum Baltikum« ist
St. Petersburg auch heute der wichtigste Hafen
des Landes. Er ist nicht nur ein wirtschaftlicher
Umschlagplatz, sondern auch ein strategischer
Knotenpunkt, einer der bedeutendsten Stützpunkte
der russischen Marine.

46 Am 26. Februar 1988 wurde der fünfmillion-
ste Bürger St. Petersburgs geboren. Wie aus einer
Statistik hervorgeht, erblicken stündlich sieben
neue Bewohner dieser Stadt das Licht der Welt.

47 Ein Spaziergang entlang der Newa.

48 oben Der Katharinen-Palast in Puschkin,
früher Carskoje Selo, ist ein Meisterwerk des
Rokoko in Rußland. Die Frontseite, mit einer
Länge von 306 Metern, erstrahlt in himmelblauer
Farbe, weißen Säulen und versilberten Dächern.
Um die Kapitelle, die Säulenenden und die
Verzierungen zu vergolden, wurden 120 Kilogramm
Gold benötigt.

48 unten Die Pracht der Fassaden des Kathari-
nen-Palastes findet im prunkvollen Innern, das
nach den Zerstörungen des Zweiten Weltkrieges
vollständig restauriert wurde, ihren Widerhall.

48–49 Thronsaal im Katharinen-Palast zu
Puschkin, das 27 Kilometer außerhalb St. Petersburgs liegt. Der Palast, 1752 von Rastrelli
entworfen, entstand im Auftrag von Zarin Elisabeth I. Große Veränderungen und Anbauten wurden
später von Katharina II. in Auftrag gegeben.

50   Der Große Palast in Peterhof ist die älteste und prachtvollste Schloßanlage im Umland von St. Petersburg. Der Peterhof diente den Herrschern als Sommerresidenz. Die Wasserspiele in der Garten-anlage – hier ein Teil der Großen Fontänen des Unteren Parks – sind einmalig in Rußland.

51   Peter der Große erkannte bald, daß der neuen Hauptstadt der königliche Glanz fehlte. Nach einem Besuch in Versailles im Jahre 1717 beauftragte der Zar den französischen Architekten Leblond mit dem Bau des Palastes Peterhof zwischen Oberem Garten und Unterem Park. Zur Residenz gehört heute ein ganzes Ensemble von Bauwerken. Die Große Kaskade im Park entwarf der Zar selbst.

Sankt Petersburg ist mit seinen drei Jahrhunderten nach europäischen Maßstäben eine junge Stadt. Es besitzt dennoch einen stark ausgeprägten Charakter, gezeichnet von den oft grausamen Launen des Schicksals. In der Tat: Die Newa-Metropole ist von Anfang an eine eigentümlich leben-dige Stadt gewesen – und das im Rußland des 18. Jahrhunderts! Das Leben dieses riesigen Landes schleppte sich gemächlich dahin, und selbst die ständigen Kriege und soziale Unruhen vermochten nicht, das Land aus der Lethargie zu erwecken, in die es verfallen war. Die Städte wuchsen nur sehr langsam und entwickelten sich nach einem unumstöß-lichen Prinzip um die Kreml, das heißt um befestigte Mauern. Wegen seiner besonderen geographischen Lage war Rußland vorwiegend Binnen-land. Unter der Regentschaft Peters – zu Beginn des 18. Jahrhunderts – nahm der ehrgeizige Traum Gestalt an, diesem Land einen Zugang zum Meer zu geben: dies war die Geburtsstunde Petersburgs. Die Geschichte der Stadt ist seitdem untrennbar mit der Persönlichkeit Peters des Großen verbunden, des Zaren, der eine ganze Epoche prägte. Er war ein beein-druckender Mensch, berühmt wegen seiner Kenntnis der Mechanik, hoch-geschätzt ob seiner politischen Fähigkeiten. Von dem unbeugsamen Wil-len beseelt, Rußland zu verändern, wollte er das wirtschaftlich und kultur-ell rückständige Land in eine moderne Macht nach westlichem Muster verwandeln. Gerade erst vierundzwanzigjährig, war Peter im Jahre 1696 Regent Rußlands geworden. Im folgenden Jahr unternahm er ausgedehnte Reisen nach Preußen, Holland und England, die ihm neue Erkenntnisse für seine Regentschaft brachten. Nach seiner Rückkehr rief er Ingenieure, Architekten und Künstler ins Land, die ihm bei der Verwirklichung seines Modells eines idealen Staates helfen sollten. Dem jungen Zaren schwebte eine dem Westen zugewandte Hauptstadt vor. Um sie zu bauen, mußte das Newa-Delta erschlossen werden, das er zuvor in einem der vielen Kriege seines Reiches gegen Schweden erobert hatte.

52 Der Paradesaal ist eine der Attraktionen des Zarenpalastes von Peterhof. An seinen Wänden hängen 368 Bilder des aus Verona stammenden Malers Pietro Rotari, der beauftragt war, die Schönsten des Reiches zu porträtieren. Für die zahlreichen Gemälde brauchte der Künstler aber nur acht Modelle.

53 oben   Ein Blick in die Gemächer; zu den prunkvollsten zählt das Schlafzimmer von Zarin Elisabeth.

53 unten   Die Restaurierungsarbeiten, 1945 begonnen und noch immer nicht abgeschlossen, konnten einem großen Teil des Palastes seine ursprüngliche Pracht wiedergeben. Jedes Jahr wird Peterhof von über zwei Millionen Besuchern besichtigt.

54–55   Der Springbrunnen mit Neptun steht im Oberen Garten. Wie dieser werden auch alle anderen Springbrunnen durch ein hydraulisches System gespeist, das im Jahre 1720 von V. Tuvolkov erdacht wurde. Das Wasser kommt von den 22 Kilometer entfernten Hügeln und läßt die Springbrunnen nach dem Prinzip des Druckausgleichs arbeiten.

Anfänglich wurde die Stadt nach dem Modell Amsterdams geplant. Peter dachte dabei an dessen Holzhäuser und das Netz seiner Kanäle. Er wollte eine große Hauptstadt am Fluß errichten, mit einer Ringmauer als Symbol unbezwingbarer Macht. Aber es war nicht nur das Eis, das die Arbeiten im Delta während der langen Wintermonate zum Erliegen brachte. Insbesondere der Widerstand des Moskauer Hofes gegen den Umzug in die feuchtkalte, unwirtliche Newa-Niederung am Finnischen Meerbusen drohte die Entstehung der großen, vom Wasser umschlossenen Stadt zu einer Utopie werden zu lassen. Erst als der Zar die Benutzung wertvoller Gesteine als Baumaterial für Paläste zuließ, ja überhaupt jede Art von Steinbauten im gesamten Russischen Reich untersagte und nur für die neue Stadt erlaubte, änderte sich die Einstellung zu seinem Vorhaben.

Sankt Petersburg wurde im Jahre 1712 die Hauptstadt Rußlands. Es behielt bis zum Ersten Weltkrieg seinen Namen. Ressentiments gegenüber Deutschland führten dazu, daß es in Petrograd umbenannt wurde. Mit dem Umzug der neuen kommunistischen Regierung im Jahre 1918 verlor es seinen Status als Hauptstadt. Anläßlich Lenins Tod im Jahre 1924 wurde es in Leningrad umbenannt.

Entstanden aus dem Nichts, in einer rauhen Gegend, die von großen Wäldern umgeben war, blühte Sankt Petersburg rasch auf. Zar Peter vertraute sein Werk von Anfang an europäischen, insbesondere italienischen Architekten an. Sie sollten der neuen Stadt, weitab von russischer Tradition, zum Leben verhelfen. Mehr als jede andere Metropole in der Geschichte ist Sankt Petersburg eine am »grünen Tisch« erdachte und geplante Stadt. Nach dem Willen ihres Gründers sollte sie ein streng einheitliches Gepräge erhalten. Die italienischen Architekten verliehen ihr ein überwiegend monumentales Aussehen, das trotz späterer Veränderungen die bühnenhafte Ordnung einer Hauptstadt bewahrte.

56   Den Palast von Pavlovsk, von einem bezaubernden Park am Ufer des Slavjanka umgeben,
schenkte im Jahre 1777 Katharina II. ihrem Sohn
Paul, dem Thronfolger. Heute beherbergt das
Schloß Bildersammlungen und Skulpturen.

57   Der Park von Pavlovsk ist über sechshundert Hektar groß. Ihn zieren mehrere Pavillons, darunter der berühmte, als Rundbau gestaltete Tempel der Freundschaft.

58 In den Gemächern des Palastes von Pavlovsk befindet sich eine außerordentlich reiche Samm- lung von Einrichtungsgegenständen, Skulpturen und Bildern, die alle im Original erhalten sind. Vor der Belagerung Leningrads durch deutsche Trup- pen war ein Großteil der Kunstgegenstände an geheimen Orten in den Bergen des Ural in Sicherheit gebracht worden.

59 Auch der kaiserliche Palast von Pavlovsk
erlitt während des letzten Weltkrieges erhebliche
Zerstörungen. Der Wiederaufbau begann noch vor
Kriegsende, und bereits im Jahre 1950 war der
berühmte Englische Garten wieder für die Öffent-
lichkeit zugänglich.

60–61 Weißer Marmor und weißes Birkenholz
prägen das Innere des Palastes von Pavlovsk. Die
klassizistische Ausstattung verleiht den Räumen
den Eindruck von Leichtigkeit und Heiterkeit.

62–63 Blick von der St. Isaak-Kathedrale über den Süd- und Südostteil der Stadt. Im Vordergrund rechts der St. Isaak-Platz mit dem Denkmal für Nikolaus I. St. Petersburg hat durch langwierige Restaurierungsarbeiten seinen alten Glanz wiedererlangt, obwohl 3200 Gebäude während des Zweiten Weltkrieges zerstört und weitere 7100 schwer beschädigt worden waren.

64–65   Das Russische Museum, im ehemaligen
Michaels-Palais, wurde im Jahre 1895 gegründet.
Die Sammlung sollte ein Pendant zur Moskauer
Tretjakov-Galerie sein.

66–67   Mit über 300 000 Exponaten in 130 Sälen
ist das Russische Museum eine der bedeutendsten
Sammlungen russischer Kunst, vornehmlich der
Malerei und der Skulpturen Rußlands vom
11. Jahrhundert bis zu den Avantgardisten zu
Beginn des 20. Jahrhunderts.

Sankt Petersburg ist bis heute die Stadt der Zaren geblieben. Sie hat sich nach Süden ausgedehnt, nachdem im Jahre 1936 ein neuer Bebauungsplan in Kraft trat. Wohnviertel und Hochhäuser entstanden, neue Straßenzüge und moderne Freiräume wurden geschaffen, aber das Grundmodell ist weiterhin das Peters des Großen und der nach ihm regierenden Zaren geblieben. Im 18. Jahrhundert waren Sankt Petersburg, Turin und Versailles die einzigen Städte der Welt, deren Bebauung nach einem vorgegebenen Plan erfolgte.

Die neue Hauptstadt stellte sich wie eine Ansammlung von Theaterkulissen dar, die in ihrem Spiel mit der Perspektive dazu dienen, den eigenartigen Charme planerischer Rationalität – ein für die Aufklärung typischer Gedanke – in Szene zu setzen. Im Stadtkern, am Winterpalais und der Admiralität treffen die drei Hauptstraßen zusammen: der Njevski-Prospekt, die Ulica Dzierżyńskogo und der Majorova-Prospekt.

Unter Wahrung der Besonderheiten der verschiedenen Stilrichtungen verfuhren alle Architekten nach dem Konzept des Stadtgründers und schufen somit ein einheitliches Gefüge – von Domenico Trezzini, dem Peter I. die Anlage der zu errichtenden Stadt anvertraute, bis Carlo Rossi, der unter den Zaren Alexander und Nikolaus das »Goldene Zeitalter« der Italiener in Sankt Petersburg beendete.

68 Die Nikolski-Morskoi-Kathedrale, nach dem heiligen Nikolaus benannt, der auch der Schutzpatron der Seefahrer ist, gilt als eines der architektonischen Meisterstücke der Stadt. Sie wurde zwischen 1753 und 1762 von dem russischen Architekten Savva Čevakinski, einem Schüler des berühmten Rastrelli, auf einem Platz erbaut, auf dem sich vorher Kasernen von Marinesoldaten befunden hatten (daher auch die Bezeichnung »Marine-Kathedrale«).

69 oben   Das Innere der Nikolski-Morskoi-Kathedrale ist zweigeschossig. Das eine Stockwerk ist für die Sommermonate luftig und hell, das andere, für die Wintermonate, ist durch tiefe Decken und konkave Wände geprägt.

69 unten   Das Alexander-Njevski-Kloster wurde von Domenico Trezzini im Auftrag von Peter dem Großen von 1720 an erbaut. Der Legende nach steht es an dem Ort, an dem der Novgoroder Fürst Alexander Jaroslavič, später Alexander Njevski genannt, im Jahre 1240 die Schweden besiegt hatte.

Der Bau der »weißen Stadt« im Norden forderte unermeßliche Opfer. Die in der Mündung von Überflutungen bedrohten Inseln konnten nur in die Stadtplanung einbezogen werden, nachdem von einem Heer aus Zwangsarbeitern, Leibeigenen und Kriegsgefangenen unzählige Pfahlbauten errichtet und umfangreiche Maßnahmen zu ihrem Schutz ergriffen wurden. Sankt Petersburg hatte bei der Beschaffung von Baumaterial absoluten Vorrang.

Trotz gewaltiger Anstrengungen mußte der ursprüngliche Plan Peters mehrmals geändert werden, da sich viele seiner Ideen als undurchführbar erwiesen – Schwierigkeiten, die die Erbauer der Untergrundbahn, eines von Stalin gewünschten Prestigeobjekts, in der Nachkriegszeit sicherlich nachempfinden konnten, als sie weit voneinander entfernte Stadtgebiete miteinander verbanden. Es mußten hierfür Tunnel bis zu einer Tiefe von einhundertfünfzig Metern unter der Newa ausgeschachtet werden, um festes Erdreich für die Trasse zu finden.

70–71 Die Auferstehungskirche wurde an der Stelle des »vergossenen Blutes« errichtet. Hier war Zar Alexander II. während einer Militärparade am 1. März 1881 einem Attentat der Gruppe »Narodnaja Volja« (Volkswillen) zum Opfer gefallen.

Zarin Katharina II. ließ für den weiteren Ausbau der Stadt Granit aus Finnland heranschaffen. Er wurde nicht nur für den Sockel des riesigen Reiterdenkmals gebraucht, das die Herrscherin zu Ehren des Stadtgründers, im Familienkreis der »bronzene Ritter« genannt, errichten ließ, sondern auch für den Bau von Dämmen, Mauerwerken, Treppen und vor allen Dingen für die Brücken über die Newa, die wie die Wassermassen, über die sie hinwegführen, so bedeutsam wurden für die Geschicke der Stadt und des Landes.

Die Newa, eisbedeckt oder schiffbar, bestimmte den Zeitplan der Bauarbeiten, die Termine für das Auslaufen der Schiffe und sogar den Ausbruch der Revolution. Im März des Jahres 1917 wurden die Revolutionäre an den Brücken aufgehalten. In die Innenstadt gelangten sie dennoch – über den vereisten Fluß. Um die Regierung Alexander Kerenskis im Oktober 1917 zu schützen, war ausdrücklich befohlen worden, die für Schiffsdurchfahrten aufklappbaren Brückenteile hochzustellen. Wäre dieser Befehl ausgeführt worden, hätten die aus der Umgebung herbeigekommenen Aufständischen nicht zu denen stoßen können, die sich bereits in der Stadt aufhielten. Lenin wäre dadurch in ernste Schwierigkeiten geraten. So aber kam es zum Sieg der Revolution.

74   Eine Braut läßt sich mit ihrer Familie auf der
Brücke des Kreuzers »Aurora« fotografieren.
Das historische Schiff ist seit 1956 am Newa-Ufer
verankert.

75 Eine Hochzeitsgesellschaft kommt aus dem Standesamt. Beamte stehen dort jeden Tag für die zehnminütige Zeremonie zur Verfügung.

76–77 Wie überall im Land sind auch in
St. Petersburg die westlichen Einkaufs- und
Konsumgewohnheiten fast unbekannt. In den
zahlreichen staatlichen Geschäften findet man
hauptsächlich Artikel des täglichen Bedarfs.
»Schlangestehen« ist üblich.

78–79   Obst und Gemüse spielen eine wichtige
Rolle in der russischen Küche.

80 Der Gostiny Dvor ist das bekannteste Kaufhaus St. Petersburgs, das täglich von 300000 Kunden aufgesucht wird. Ein eleganter, von Arkaden gesäumter Gang auf zwei Stockwerken umgibt das Einkaufszentrum, das Katharina die Große Ende des 18. Jahrhunderts erbauen ließ. Das Gebäude weist die Aufteilung alter russischer Basare auf, die den nicht in der Stadt ansässigen Kaufleuten Wohnmöglichkeiten boten.

Am 6. September 1991 wurde nach einer Volksabstimmung die Stadt wieder in Sankt Petersburg umbenannt. Pünktlich, wie zu einer Verabredung mit der Zukunft, eröffnete die noch immer faszinierende Metropole, das »Venedig Rußlands«, die neue Epoche mit wirtschaftlichen, kulturellen und künstlerischen Reizen. Die Denkmäler von Sankt Petersburg – so die Peter-Pauls-Festung, das »Herz der Stadt« – brauchen den Vergleich mit den Hauptstädten Europas nicht zu scheuen. Der Tag, an dem der Grundstein für diese Bastion gelegt wurde, der 16. Mai 1703, gilt als das offizielle Datum der Geburt Sankt Petersburgs. Die sechseckigen Festungsmauern umschließen die Garnisonen, die Wachtürme und eine Anzahl von Museen. Im Mittelpunkt des Gebäudekomplexes steht die Kathedrale, die den Namen ihrer beiden heiligen Schutzpatrone Peter und Paul trägt. Mit ihrer geraden und blaßgelben Front, ihrem strengen Profil, erinnert die Kirche an ein holländisches Rathaus. Der neugotische Spitzturm erhebt sich über einhundertzwanzig Meter bis zu dem Engel, der ein Kreuz in den Händen hält. In einer Nische im Innern der Kirche, rechts des prächtigen Altares, befindet sich die Grabstätte Peters des Großen, stets mit Blumen geschmückt. Unweit der Festung, am Ufer der Petrovskaja, steht in einem Park frühklassizistischer Eleganz noch das erste Domizil, das der Zar für sich in der Stadt errichten ließ, ein einfaches Holzhäuschen mit nur wenigen Zimmern, eine schlichte, praktische Behausung, später mit Stein verkleidet, um sie vor Witterungseinflüssen zu schützen. Die ganze Altstadt Sankt Petersburgs ist eine Aneinanderreihung eleganter Bauten. Sie haben cremefarbene, korallenrote und himmelblaue Fronten. Fensterreihen in regelmäßiger Anordnung bestimmen das Bild der herrschaftlichen Paläste, deren schmiedeeiserne Tore und bronzene Löwenstatuen Abstand gebieten. Sie erwecken den Eindruck, als zögen sich die Bauwerke endlos an den durch Brücken unterbrochenen Kanalufern entlang.

Die Gebäude am Schloßplatz dokumentieren die Stadtentwicklung nach Peter dem Großen. Mit rechteckigem Aufbau und moosgrüner Front, unterteilt durch schlanke, weiße Säulen, verziert mit vergoldeten Putten, Löwenköpfen und Ornamenten, liegt an einer Seite des Platzes das monumentale Winterpalais, kaiserliche Residenz während der langen und harten Winter. Je nach Witterung scheinen sich die Stirnseiten des Palastes farblich zu verändern, von blassem Himmelblau bis zu Grautönen an regnerischen Tagen. Aber auch bei schlechtem Wetter zeigt sich der Palast durch die Vielzahl der Ornamente in wundervoller Pracht, die durch fast zweitausend Fenster noch unterstrichen wird.

Ein hoher neugotischer Spitzturm krönt die nüchterne Stirnseite der Admiralität, des Gebäudes neben dem Winterpalais. Einen Gegensatz zum Prunk der kaiserlichen Residenz bildet ein elegantes, hufeisenförmiges Bauwerk auf der anderen Seite des Platzes, das für Zar Alexander I. zwischen 1819 und 1825 errichtet wurde und heute dem Generalstab zur Verfügung steht. Seine sehr schöne klassizistische, beige Stirnseite wird von einem großen Triumphbogen beherrscht, auf dem, in Bronze gegossen, eine geflügelte Siegesgöttin die sechs Rosse ihres Gespanns lenkt. Erbaut wurde dieser Triumphbogen zwischen 1819 und 1829, um den Sieg der Truppen des Zaren über Napoleon zu feiern. In der Mitte dieses gewaltigen Komplexes erhebt sich die riesige Alexandersäule; sie wurde von Nikolaus I. im Jahre 1834, zweiundzwanzig Jahre nach dem Sieg seines Bruders über die Franzosen, zu dessen Gedenken eingeweiht. Dieser größte Monolith der Welt ruht auf einem mit Basreliefs verzierten Sockel. Das Gesicht des Engels auf der Spitze der rosafarbenen Granitsäule trägt die Züge des Zaren Alexander.

82 Durch die Reformen sind heute privatgeführte
Lokale ein großer Erfolg. Sie werden wie Genos-
senschaften bewirtschaftet.

83   Das Čajka geht auf die Initiative eines
Hamburger Gastwirtes zurück. Das Lokal sieht aus
wie das Innere eines Schiffes, mit Messingbe-
schlägen, Bildern von Hamburg und vor allem
ausgestopften Möwen geschmückt, nach denen
das Lokal benannt ist. Die Küche bietet ausge-
zeichnete Fischgerichte, wie geräucherte Heringe,
Kaviar und Stör.

84–85   Das Café Literaturmoje auf dem Njevski-
Prospekt ist ein altes Kaffeehaus, ein traditionsrei-
cher Treffpunkt von Literaten und Intellektuellen.
Puschkins Name ist eng damit verbunden. Nachdem es lange Zeit geschlossen war, gehört es
heute wieder zu den Glanzpunkten. In den
geschmackvoll eingerichteten Räumen läßt es sich
bei Kammermusikklängen angenehm verweilen.

87 Die Untergrundbahn von St. Petersburg, ein Prestigeobjekt Stalins, wurde unter großen Schwierigkeiten gebaut. Die Tunnel liegen zum Teil 150 Meter unter der Newa. Die Metro besteht aus drei Strecken.

Die architektonischen Elemente des Platzes vor dem Palast verschmelzen trotz ihrer Verschiedenheit zu einer großen bühnenhaften Szenerie. Hier spielten sich auch die dramatischen Begebenheiten ab, die zu Anfang unseres Jahrhunderts die erste, entscheidende Phase der russischen Revolution einleiteten. Am 9. Januar, am »blutigen Sonntag« des Jahres 1905 erschossen Soldaten des Zaren Nikolaus II. Hunderte friedlicher Demonstranten, die von Pfarrer Gapon angeführt wurden. Dieses Massaker, die ständigen Entbehrungen in den Jahren danach sowie die unermeßlichen Opfer in den Schlachten des Ersten Weltkrieges führten dazu, daß das einst so arglose Vertrauen des Volkes zu »Väterchen Zar« in Haß und Empörung umschlug und in einen offenen Aufstand mündete. Im März 1917 wurde Nikolaus II. gezwungen, zugunsten seines Bruders Michael abzudanken. Im Oktober desselben Jahres führten die Kanonenschüsse des Kreuzers »Aurora« zur Erstürmung des Winterpalais und zur Absetzung der provisorischen Regierung durch die Bolschewisten.

Der berühmteste Zarenpalast, der Peterhof, liegt dreißig Kilometer vor der Stadt. Mit dem Bau dieses gewaltigen Schlosses wurde im Jahre 1714 begonnen. Sein heutiges Aussehen verliehen ihm die Arbeiten im Jahre 1745, die die Handschrift des Architekten Rastrelli tragen. Das aufwendigste Bauwerk im gesamten Palastbereich, der zum Sommersitz der Herrscher wurde, ist die Große Kaskade. Diese Brunnenanlage geht auf einen Entwurf Peters I. zurück, sie besteht aus vierundsechzig Brunnen, über zweihundertfünfzig Statuen und vergoldeten Reliefs. Im Zweiten Weltkrieg war der Peterhof drei Jahre lang von deutschen Truppen besetzt, die die Kunstschätze wegschafften und ihn zerstört hinterließen. Danach begannen Restaurierungsarbeiten, die bis heute andauern. Das Gebäude hat einen großen Teil seines ursprünglichen Glanzes wiedererlangt. Es ist eine betörende Sequenz von Räumen und Salons, deren Glanzpunkt die Gemächer Katharinas der Großen darstellen, der Prinzessin aus Deutschland,

Gemahlin Peters III., die nach einem Staatsstreich im Jahre 1762 die Macht ergriff. Die Herrscherin, die in ständiger Verbindung zu den Intellektuellen Europas stand, die im Geiste der Aufklärung wirkten, machte Sankt Petersburg zu einer wahren Kulturhauptstadt, in der Architekten wie Quarenghi, Rinaldi und Rossi ihre berühmten Meisterwerke schufen. Nicht weit vom pompösen Luxus des großen Palastes entfernt, steht das im Jahre 1829 erbaute Landhaus, das dem Zaren Nikolaus und der Zarin Alexandra Fjodorovna als Feriensitz diente.

Die bedeutendste kaiserliche Residenz bleibt jedoch das Winterpalais mit seinem gesamten Ensemble berühmter Bauten, in denen nach der Oktoberrevolution die »Eremitage« Platz fand. Nur der Louvre und die Uffizien können sich mit diesem riesigen Museum messen, von dessen Ausstellungsstücken das Winterpalais nur einen Teil beherbergt. Andere Abteilungen des Museums sind die Kleine Eremitage, dereinst als Pavillon für Katharina die Große errichtet, die Alte Eremitage und das Theater, die alle gegen Ende des 18. Jahrhunderts erbaut wurden, sowie die neoklassizistische Neue Eremitage (1839–1852). Zu den 2 700 000 Kunstgegenständen im Bestand der Eremitage, dieses »Tempels der Kultur und Kunst«, gehören Bilder, Skulpturen, Münzen, Uhren, Möbel, Waffen, archäologische Funde und Werke zeitgenössischer Schriftsteller.

Mittelpunkt des gesellschaftlichen Lebens der Stadt ist der Njevski-Prospekt. Diese Straße, fünfundzwanzig bis sechzig Meter breit, war im vergangenen Jahrhundert das Handels- und Finanzzentrum des Russischen Reiches. Alle renommierten in- und ausländischen Bankhäuser sowie führende Handelskontore hatten hier ihre Niederlassungen.

Der Njevski-Prospekt bietet dem Betrachter ein Mosaik architektonischer Stilrichtungen. Dicht an dicht stehen hier Zeugen des Zarenreiches, der Handelswelt und der Sowjetära. Der heutige Njevski-Prospekt ist die Straße der Kinos, der Theater und der vornehmen Geschäfte. Beim Dahin-

88 Das »Trojka« ist eines der bekanntesten
Petersburger Nachtlokale.

schlendern wird auch dem Besucher bewußt, daß Sankt Petersburg, trotz
des Glanzes seiner faszinierenden Formen, nicht als bloßes Werk berühmter Architekten betrachtet werden kann. Es ist eine Stadt voller Leben, eine
Stadt, die auch die russische Literatur mit ihrer Melancholie beeinflußt hat,
eine geheimnisvolle und wechselhafte Metropole, ein fast beseeltes Ge-
bilde, das Lebensart und Lebensgefühl der Bewohner mitzuprägen ver-
mochte.
Berühmte Persönlichkeiten haben hier gewirkt. Ideen standen miteinander
im Widerstreit, soziale Konflikte und politische Wirren hinterließen tiefe
Spuren. Im heutigen Sankt Petersburg aber herrscht die unerschütterliche
Überzeugung, gereift durch viele Erfahrungen und in Erwartung geringerer
Leiden, daß früher oder später sich alles zum Guten wendet.

90   Von Diaghilev bis Nijinski, von Pavlova bis
Nurejev – die Geschichte des russischen Balletts
ist auf der Bühne des Kirov-Theaters geschrieben
worden, das sich, wie in alten Zeiten, heute wieder
Marinski-Theater nennt.

91   Das Marinski-Theater, von Cavos im Jahre
1860 gegründet, hat die Uraufführungen der
Meisterwerke aller großen russischen Komponisten
des 19. Jahrhunderts bis in unsere Tage miterlebt.

92–93   Eine Aufführung im Marinski-Theater.

94–95   St. Petersburg, auf über vierzig Inseln
gelegen, die durch ein Labyrinth von Kanälen
miteinander verbunden sind, wird oft das »Venedig
Rußlands« genannt. Der nach dem Schriftsteller
und Diplomaten Gribojedov benannte Kanal hat
sein besonderes romantisches Aussehen bewahrt.